NARVAL

LICORNE DE MER

BEN CLANTON

TEXTE FRANÇAIS D'ISABELLE FORTIN

D0094195

SCHOLASTIC

À ENYA
ALIAS NUNU, LANCEUSE DE
MÉDUSES ET SIRÈNICORNE

Catalogage avant publication de Bibliothèque et Archives Canada

Clanton, Ben, 1988-
[Narwhal. Français]
Narval : licorne de mer / Ben Clanton, auteur et illustrateur ;
texte français d'Isabelle Fortin.

(Les aventures de Narval et Gelato ; 1)
Traduction de: Narwhal : unicorn of the sea.
ISBN 978-1-4431-6583-9 (couverture souple)

I. Romans graphiques. I. Titre. II. Titre: Narwhal. Français.

PZ23.7.C53Nar 2018   j741.5'973   C2017-906641-2

Édition publiée par les Éditions Scholastic, 604, rue King Ouest, Toronto (Ontario) M5V 1E1
en vertu d'une entente conclue avec Gallt and Zacker Literary Agency LLC.

5 4 3 2 1   Imprimé en Malaisie 108   18 19 20 21 22

Conception graphique : Ben Clanton et Andrew Roberts

Les illustrations de ce livre ont été réalisées au crayon de couleur, puis colorées numériquement.
Références photographiques :
gaufre : © Tiger Images/Shutterstock
fraise : © Valentina Razumova/Shutterstock

TABLE DES MATIÈRES

5 NARVAL EST VRAIment GÉNIAL

21 FAITS **SUPER** INTÉRESSANTS

23 L'INCROYABLE BANC DE NARVAL

41 LA CHANSON DE NARVAL

43 NARVAL ET LE MEILLEUR LIVRE DU MONDE

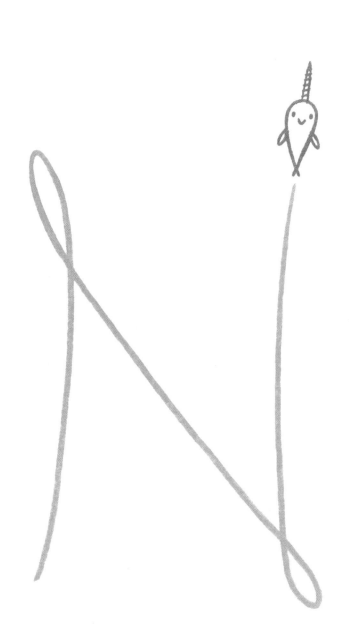

NARVAL EST VRAIMENT GÉNIAL

UN JOUR, ALORS QUE NARVAL SE BALADAIT DANS LA MER, IL SE RETROUVA DANS DES EAUX INCONNUES.

WOUAH! TU ES QUI, TOI?

MOI? JE SUIS **NARVAL** LE NARVAL!

UN NARVAL?

OUAIP!

UNE LICORNE DE MER!

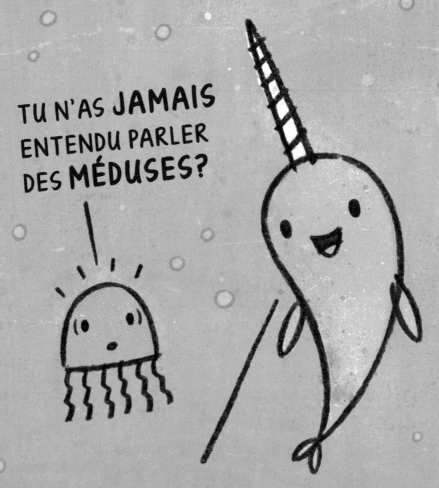

TU N'AS JAMAIS ENTENDU PARLER DES MÉDUSES?

NON! TU NE RESSEMBLES À AUCUN AUTRE POISSON. MAIS JE SUIS MÉDUSÉ D'APPRENDRE QUE TU EXISTES. J'AI VRAIMENT UNE IMAGINATION DÉBORDANTE!

JE N'ARRIVE PAS À Y CROIRE! LA CHOSE QUE J'IMAGINE S'IMAGINE **QU'ELLE M'IMAGINE.**

PROUVE-LE!

PROUVER QUOI?

QUE TU EXISTES!

ET TOI, TU PEUX LE PROUVER?

Hi hi!
ÇA CHATOUILLE!
MAIS ÇA NE PROUVE
RIEN. JE POURRAIS
IMAGINER QUE
ÇA CHATOUILLE.

TU POURRAIS IMAGINER
N'IMPORTE QUOI.

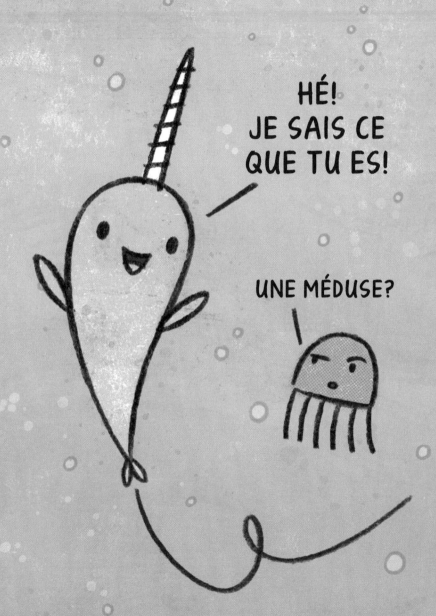

UN **AMI** IMAGINAIRE!

TU VEUX ALLER
MANGER DES GAUFRES?

EUH... OK.

FAITS **SUPER** INTÉRESSANTS

LA LONGUE DENT DU NARVAL RESSEMBLE À UNE CORNE. ELLE PEUT MESURER JUSQU'À 3 MÈTRES DE LONG.

JE LA BROSSE TOUS LES JOURS.

WOUAH!

JE SUIS FORMIDABLE!

LE NARVAL PEUT PESER 1 600 KG ET RETENIR SON SOUFFLE PENDANT 25 MINUTES.

SON RECORD DE PROFONDEUR EST DE 1 800 MÈTRES.

SELON DES ÉTUDES RÉCENTES, LE NARVAL PEUT VIVRE JUSQU'À 90 ANS.

D'AUTRES FAITS **SUPER** INTÉRESSANTS

IL EXISTE PRÈS DE 4 000 ESPÈCES DE MÉDUSES DANS LE MONDE.

WOUAH! ET À LAQUELLE J'APPARTIENS?

À CELLE QUI EST GÉNIALE!

PAS CEUX POUR S'ASSEOIR.

LES MÉDUSES SE DÉPLACENT EN BANCS.

ELLES EXISTENT DEPUIS DES MILLIONS D'ANNÉES. ELLES ÉTAIENT LÀ BIEN AVANT LES DINOSAURES.

LA PIQÛRE DE CERTAINES MÉDUSES PEUT ÊTRE MORTELLE POUR LES HUMAINS.

CES MÉDUSES DANGEREUSES VIVENT SURTOUT EN AUSTRALIE.

L'INCROYABLE BANC DE NARVAL

FORMER UN BANC?

OUI! ET JE SAIS QUI AURA ENVIE D'EN FAIRE PARTIE.

REQUIN!

ÇA VA ÊTRE...

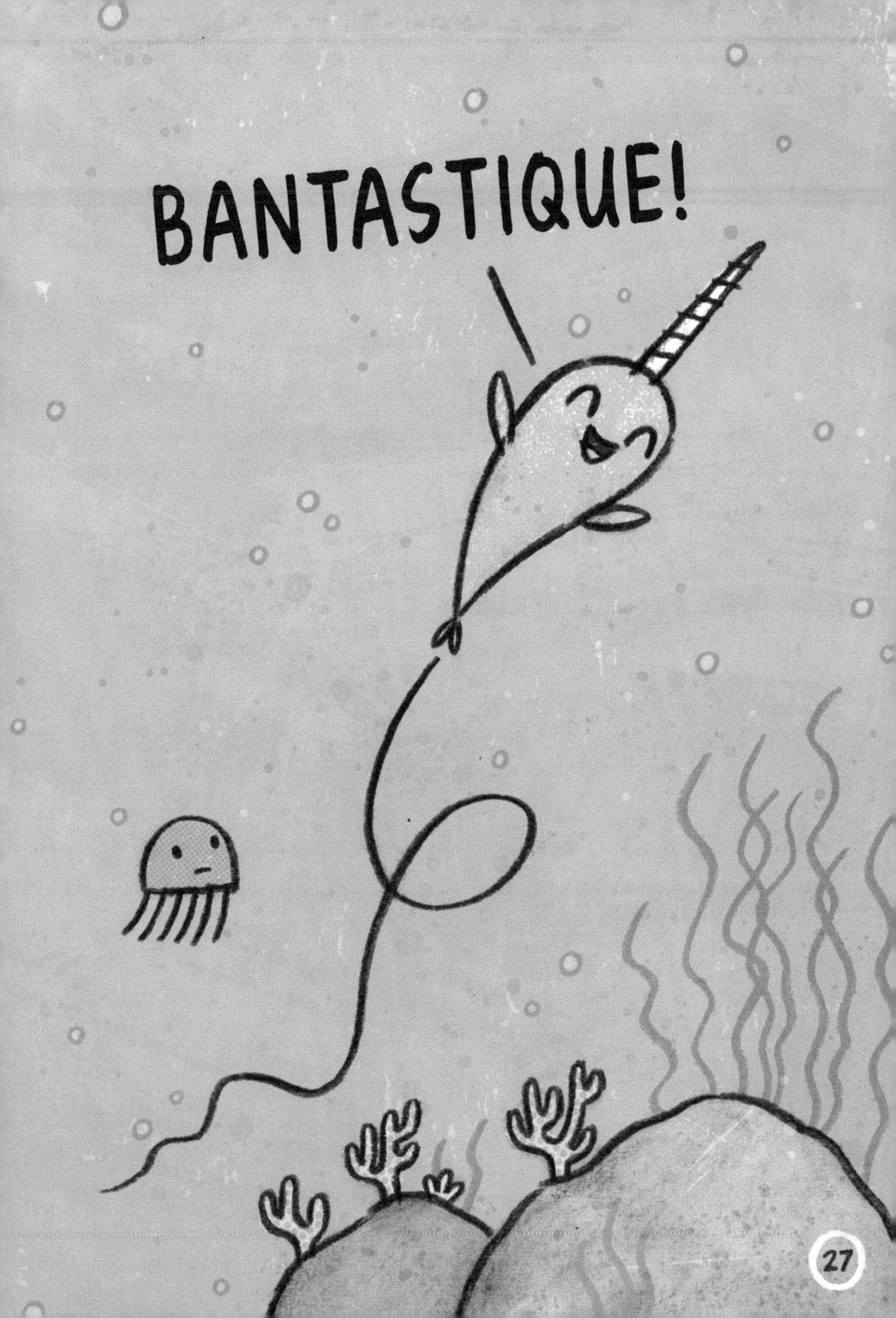
BANTASTIQUE!

JOIGNEZ-VOUS À NOTRE BANC, MONSIEUR POISSON-GLOBE!

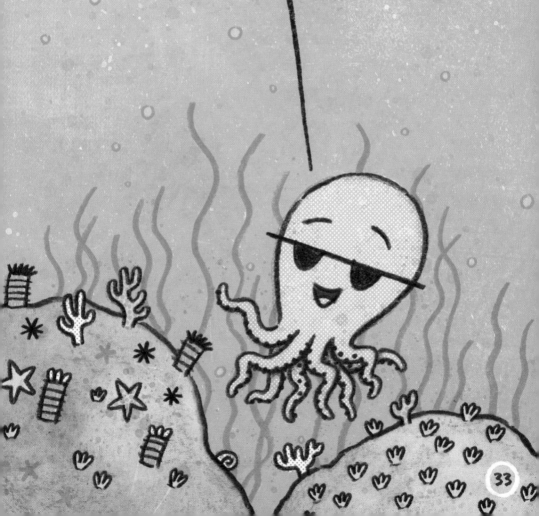

TU DEVRAIS VENIR AVEC NOUS.

OH OUI!
TENTACULAIRE!

NARVAL!

ET À MOI? TU NE ME LE DEMANDES PAS?

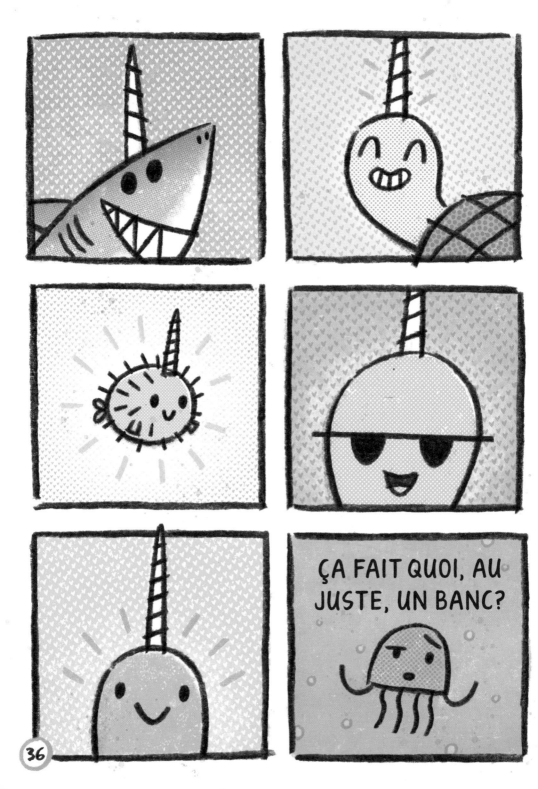

JE NE SAIS PAS TROP.

JE SUPPOSE QU'UN BANC...
FAIT LA BOMBE DANS L'EAU,
MANGE DES GAUFRES, LUTTE
CONTRE LE CRIME ET...

ORGANISE DES **FÊTES SUPER GÉNIALES!**

J'ADORE LES FÊTES!

BANTASTIQUE!

NARVAL!

NARVAL
ET LE
MEILLEUR LIVRE DU MONDE

QU'EST-CE QUE TU LIS?

LE MEILLEUR LIVRE DE LA MER ET MÊME DE TOUT L'UNIVERS!

WOUAH! JE PEUX VOIR?

BIEN SÛR!

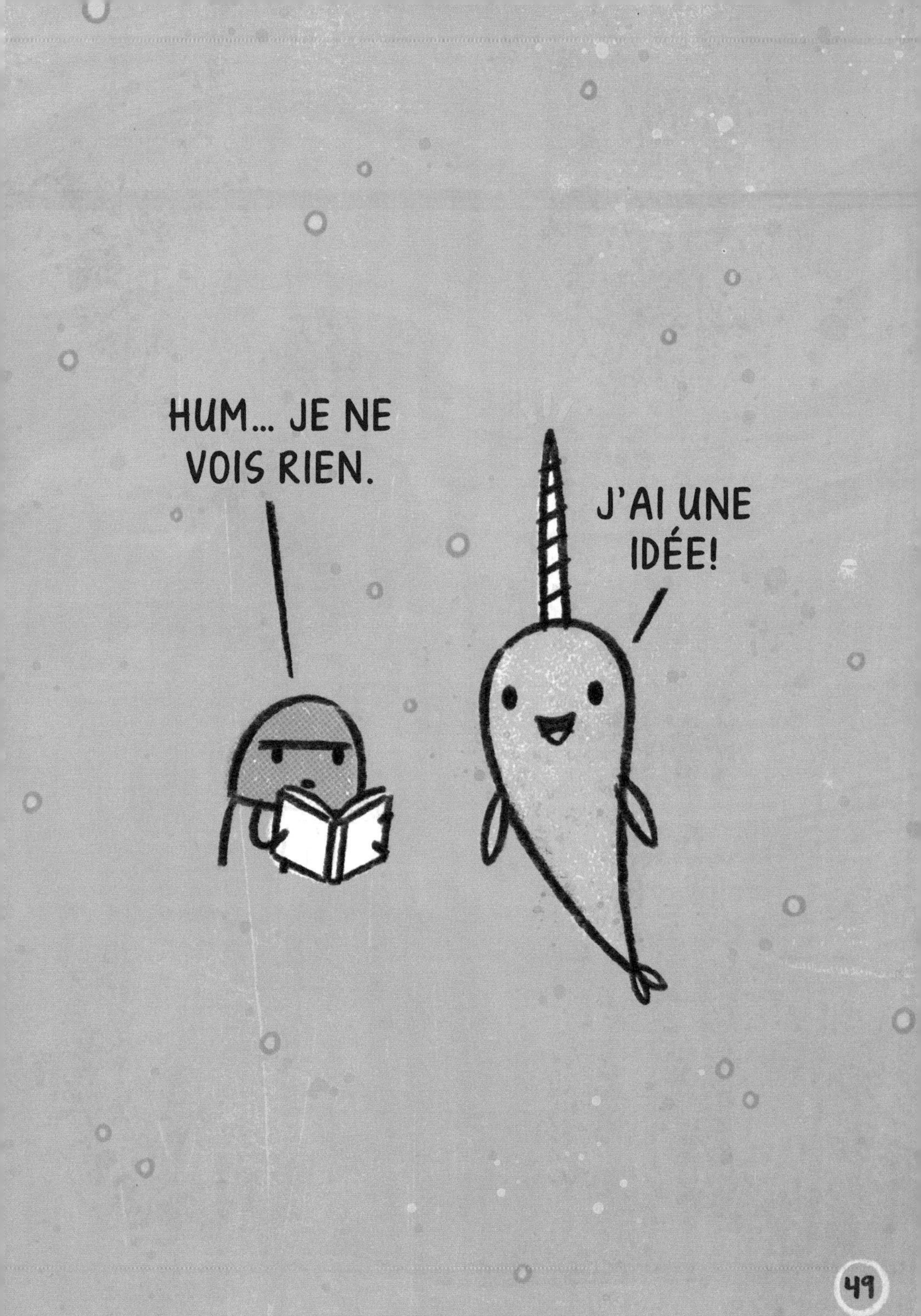
HUM... JE NE VOIS RIEN.
J'AI UNE IDÉE!

D'ABORD, FERME LES YEUX.

ET MAINTENANT?

PENSE À L'UNE DES CHOSES QUE TU AIMES LE PLUS AU MONDE.

IMAGINE-LA DANS TA TÊTE.

MIAM! UNE
GAUFRE!

ENSUITE, IMAGINE UN ROBOT **GÉANT** EN COLÈRE.

J'AI PEUR DES ROBOTS **GÉANTS** EN COLÈRE!

HEUREUSEMENT,
LA GAUFRE EST AUSSI
MAÎTRE DE KUNG-FU!

REGARDE LE LIVRE ET
ESSAIE D'Y VOIR UNE IMAGE
DE LA GAUFRE EN TRAIN
D'AFFRONTER LE ROBOT!

J'AI UNE IDÉE! LA GAUFRE DEVRAIT AVOIR UN CAMARADE : UNE FRAISE!

BONNE IDÉE, GELATO!

J'AI COMPRIS, NARVAL.
C'EST UN LIVRE FANTASTIQUE!
IL CONTIENT TOUT CE QU'ON
PEUT IMAGINER!

TOURNE LA PAGE.
JE VEUX SAVOIR CE
QUI VA ARRIVER.

C'EST UN SINGE
DE MER? IL A
L'AIR ÉTRANGE.

LES SINGES
DE MER SONT
DRÔLES. ILS
RACONTENT
DE BONNES
BLAGUES.

QUELLE MONNAIE LES POISSONS UTILISENT-ILS? LES SOUS MARINS!

789

HOURRA! MAINTENANT, LE ROBOT EST CONTENT.

DIFFICILE DE NE PAS L'ÊTRE, EN COMPAGNIE D'UN SINGE DE MER.

EST-CE QUE JE PEUX EMPRUNTER TON LIVRE?

BIEN SÛR!

MAIS NE MOUILLE
PAS LES PAGES.